진정주

경기도 안산에 위치한 진정주 약국과 인터넷 쇼핑몰 "진약사몰"을 경영하는 현직 약사이자, 남편 박찬선 목사와 함께 순복음안디옥교회를 개척하여 한결같이 섬기고 있는 사모다. 30년 이상 하나님 앞에서 떼쓰고, 실수하고, 책망 받으며 배운 생생한 기도를 소재로 유튜브 〈진약사의 기도학교〉를 운영하고 있다. 저자는 교회 사역과 일을 병행하기에 우리의 현실과 밀착된 기도를 이야기한다.

중앙대학교 약학대학을 졸업하고, 국민 건강과 사회에 공헌한 공로를 인정받아 중앙대학교 명예박사 학위를 받기도 하였다. 유튜브 채널로 〈진약사톡〉(구독자 38.5만 명)과 〈진약사의 기도학교〉(구독자 9.5만 명)가 있으며 저서로《진약사의 기도학교》와《내 몸이 웃는다》가 있다.

진약사의 기도학교

design 권기용

기적을 부르는 암송 1200 | 2권

기적을 부르는 암송 1200 | 진리

지은이 | 진정주
초판 발행 | 2025. 10. 27.
8쇄 발행 | 2026. 1. 12.
등록번호 | 제1988-000080호
등록된 곳 | 서울특별시 용산구 서빙고로65길 38
발행처 | 사단법인 두란노서원
영업부 | 2078-3333 FAX | 080-749-3705
출판부 | 2078-3331

ISBN 978-89-531-5178-9 04230
978-89-531-5180-2 04230 (세트)

독자의 의견을 기다립니다.
tpress@duranno.com http://www.duranno.com

두란노서원은 바울 사도가 3차 전도여행 때 에베소에서 성령 받은 제자들을 따로 세워 하나님의 말씀으로 양육하던 장소입니다. 사도행전 19장 8-20절의 정신에 따라 첫째 목회자를 돕는 사역과 평신도를 훈련시키는 사역, 둘째 세계선교(TIM)와 문서선교(단행본·잡지) 사역, 셋째 예수문화 및 경배와 찬양 사역, 그리고 가정·상담 사역 등을 감당하고 있습니다. 1980년 12월 22일에 창립된 두란노서원은 주님 오실 때까지 이 사역들을 계속할 것입니다.

2권

기암송 1200

진리

진정주

두란노

★ CONTENTS

욥기 ··· 시편

프롤로그

이 책 《기암송 1200》은 유튜브 〈진약사의 기도학교〉 교재로 발간되었습니다.

기도는 하나님의 위대한 발명품입니다. 위대하신 하나님께서 인생의 길을 잃은 우리를 불쌍히 여기사 당신의 보좌 앞으로 나아가도록 이끄신 것이 곧 기도입니다. 그리고 이 기도는 말씀을 통해 온전해질 수 있습니다.

기도학교 강의를 이어가면서 저는 늘 말씀에 대한 갈급함을 느꼈습니다. 기도를 계속 하다보면 힘이 빠지고 표류하는 순간들이 찾아오게 마련입니다. 그럴 때 말씀은 우리를 새롭게 하며, 더 깊은 차원의 기도로 이끌어 줍니다. 살아 계신 성령께서 말씀을 통해 도우시기 때문입니다. 때로는 말씀을 소리 내어 읽는 것만으로도 기도가 되는 비밀이 있기에 말씀은 기도의 연료이자 지표입니다.

이 책은 기존의 암송 교재들과는 다른 독특한 특징이 있습니다. 먼저 마태복음부터 신약성경을 순서대로, 그리고 창세기부터 말라기까지 구약성경도 순서대로

엮었습니다. 또 의미상 하나로 묶어야 할 구절들은 한 순번에 함께 배치했습니다. 그러므로 성경을 공부하거나 통독할 때도 매우 유용한 교재로 활용할 수 있습니다.

예를 들어, 로마서를 읽고자 할 때 이 책의 요절을 먼저 여러 번 읽고 익힌 다음, 로마서 본문을 정독해 보십시오. 이전에는 알지 못했던 구절구절의 깊은 의미가 살아나고, 레마의 말씀으로 마음에 새겨질 것입니다.

또 이 책은 수십 년간 실제 기도생활 속에서 터득한 저의 기도 실전을 바탕으로 구성했습니다. 어떤 학술적인 강의보다 현실과 간증이 녹아 있는 책이니 여러분의 삶에도 기적이 일어나리라 믿습니다.

말씀 암송은 기도자의 생활입니다. 이 책을 세 권으로 나눈 것도 휴대의 편의를 고려한 것입니다. 모쪼록 이 교재가 여러분의 영성 훈련에 큰 도움이 되기를 바랍니다.

2025. 10. 진정주

창세기 — 신명기

DAY ____ . ____ . ____ 암송체크

창세기

455 창세기 1:1 ☐☐☐☐☐

태초에 하나님이 천지를 창조하시니라

456 창세기 1:2 ☐☐☐☐☐

땅이 혼돈하고 공허하며 흑암이 깊음 위에 있고 하나님의 영은 수면 위에 운행하시니라

457 창세기 1:3 ☐☐☐☐☐

하나님이 이르시되 빛이 있으라 하시니 빛이 있었고

레마의 말씀

DAY . .

암송체크

458 창세기 1:4-5

빛이 하나님이 보시기에 좋았더라 하나님이 빛과 어둠을 나누사

하나님이 빛을 낮이라 부르시고 어둠을 밤이라 부르시니라 저녁이 되고 아침이 되니 이는 첫째 날이니라

459 창세기 12:1

여호와께서 아브람에게 이르시되 너는 너의 고향과 친척과 아버지의 집을 떠나 내가 네게 보여 줄 땅으로 가라

레마의 말씀

DAY . . 암송체크

460 창세기 12:2

내가 너로 큰 민족을 이루고 네게 복을 주어 네 이름을 창대하게 하리니 너는 복이 될지라

461 창세기 12:3

너를 축복하는 자에게는 내가 복을 내리고 너를 저주하는 자에게는 내가 저주하리니 땅의 모든 족속이 너로 말미암아 복을 얻을 것이라 하신지라

462 창세기 15:6

아브람이 여호와를 믿으니 여호와께서 이를 그의 의로 여기시고

레마의 말씀

DAY . . 암송체크

463 창세기 17:1

아브람이 구십구 세 때에 여호와께서 아브람에게 나타나서 그에게 이르시되 나는 전능한 하나님이라 너는 내 앞에서 행하여 완전하라

464 창세기 28:15

내가 너와 함께 있어 네가 어디로 가든지 너를 지키며 너를 이끌어 이 땅으로 돌아오게 할지라 내가 네게 허락한 것을 다 이루기까지 너를 떠나지 아니하리라 하신지라

레마의 말씀

DAY . .   암송체크

출애굽기

465 출애굽기 19:5-6a ☐☐☐☐☐

세계가 다 내게 속하였나니 너희가 내 말을 잘 듣고 내 언약을 지키면 너희는 모든 민족 중에서 내 소유가 되겠고

너희가 내게 대하여 제사장 나라가 되며 거룩한 백성이 되리라

466 출애굽기 20:2 ☐☐☐☐☐

나는 너를 애굽 땅, 종 되었던 집에서 인도하여 낸 네 하나님 여호와니라

DAY . .   암송체크

467 출애굽기 20:3

너는 나 외에는 다른 신들을 네게 두지 말라

468 출애굽기 20:4

너를 위하여 새긴 우상을 만들지 말고 또 위로 하늘에 있는 것이나 아래로 땅에 있는 것이나 땅 아래 물 속에 있는 것의 어떤 형상도 만들지 말며

469 출애굽기 20:6

나를 사랑하고 내 계명을 지키는 자에게는 천 대까지 은혜를 베푸느니라

레마의 말씀

DAY . .

암송체크

470 출애굽기 20:7

너는 네 하나님 여호와의 이름을 망령되게 부르지 말라 여호와는 그의 이름을 망령되게 부르는 자를 죄 없다 하지 아니하리라

471 출애굽기 20:8

안식일을 기억하여 거룩하게 지키라

472 출애굽기 20:12

네 부모를 공경하라 그리하면 네 하나님 여호와가 네게 준 땅에서 네 생명이 길리라

레마의 말씀

DAY ______ . ______ . ______ 암송체크

레위기

473 레위기 19:2

너는 이스라엘 자손의 온 회중에게 말하여 이르라 너희는 거룩하라 이는 나 여호와 너희 하나님이 거룩함이니라

474 레위기 19:3

너희 각 사람은 부모를 경외하고 나의 안식일을 지키라 나는 너희의 하나님 여호와이니라

레마의 말씀

DAY . . 암송체크

민수기

475 민수기 6:24

여호와는 네게 복을 주시고 너를 지키시기를 원하며

476 민수기 6:25

여호와는 그의 얼굴을 네게 비추사 은혜 베푸시기를 원하며

레마의 말씀

DAY . . 암송체크

477 민수기 6:26-27

여호와는 그 얼굴을 네게로 향하여 드사 평강 주시기를 원하노라 할지니라 하라

그들은 이같이 내 이름으로 이스라엘 자손에게 축복할지니 내가 그들에게 복을 주리라

신명기

478 신명기 8:3

너를 낮추시며 너를 주리게 하시며 또 너도 알지 못하며 네 조상들도 알지 못하던 만나를 네게 먹이신 것은 사람이 떡으로만 사는 것이 아니요 여호와의 입에서 나오는 모든 말씀으로 사는 줄을 네가 알게 하려 하심이니라

레마의 말씀

DAY . .

암송체크

479 신명기 8:16

네 조상들도 알지 못하던 만나를 광야에서 네게 먹이셨나니 이는 다 너를 낮추시며 너를 시험하사 마침내 네게 복을 주려 하심이었느니라

레마의 말씀

여호수아—느헤미야

DAY . .

암송체크

여호수아

480 여호수아 1:5

네 평생에 너를 능히 대적할 자가 없으리니 내가 모세와 함께 있었던 것같이 너와 함께 있을 것임이니라 내가 너를 떠나지 아니하며 버리지 아니하리니

481 여호수아 1:8

이 율법책을 네 입에서 떠나지 말게 하며 주야로 그것을 묵상하여 그 안에 기록된 대로 다 지켜 행하라 그리하면 네 길이 평탄하게 될 것이며 네가 형통하리라

레마의 말씀

482 여호수아 1:9

내가 네게 명령한 것이 아니냐 강하고 담대하라 두려워하지 말며 놀라지 말라 네가 어디로 가든지 네 하나님 여호와가 너와 함께하느니라 하시니라

483 여호수아 2:11

우리가 듣자 곧 마음이 녹았고 너희로 말미암아 사람이 정신을 잃었나니 너희의 하나님 여호와는 위로는 하늘에서도 아래로는 땅에서도 하나님이시니라

레마의 말씀

룻기

484 룻기 1:16

룻이 이르되 내게 어머니를 떠나며 어머니를 따르지 말고 돌아가라 강권하지 마옵소서 어머니께서 가시는 곳에 나도 가고 어머니께서 머무시는 곳에서 나도 머물겠나이다 어머니의 백성이 나의 백성이 되고 어머니의 하나님이 나의 하나님이 되시리니

485 룻기 1:17

어머니께서 죽으시는 곳에서 나도 죽어 거기 묻힐 것이라 만일 내가 죽는 일 외에 어머니를 떠나면 여호와께서 내게 벌을 내리시고 더 내리시기를 원하나이다 하는지라

레마의 말씀

DAY . . 암송체크

사무엘상

486 사무엘상 15:22

사무엘이 이르되 여호와께서 번제와 다른 제사를 그의 목소리를 청종하는 것을 좋아하심같이 좋아하시겠나이까 순종이 제사보다 낫고 듣는 것이 숫양의 기름보다 나으니

487 사무엘상 15:23

이는 거역하는 것은 점치는 죄와 같고 완고한 것은 사신 우상에게 절하는 죄와 같음이라 왕이 여호와의 말씀을 버렸으므로 여호와께서도 왕을 버려 왕이 되지 못하게 하셨나이다 하니

레마의 말씀

DAY . . 암송체크

열왕기상

488 열왕기상 18:36b

아브라함과 이삭과 이스라엘의 하나님 여호와여 주께서 이스라엘 중에서 하나님이신 것과 내가 주의 종인 것과 내가 주의 말씀대로 이 모든 일을 행하는 것을 오늘 알게 하옵소서

489 열왕기상 18:37

여호와여 내게 응답하옵소서 내게 응답하옵소서 이 백성에게 주 여호와는 하나님이신 것과 주는 그들의 마음을 되돌이키심을 알게 하옵소서 하매

레마의 말씀

역대상

490 역대상 4:10

야베스가 이스라엘 하나님께 아뢰어 이르되 주께서 내게 복을 주시려거든 나의 지역을 넓히시고 주의 손으로 나를 도우사 나로 환난을 벗어나 내게 근심이 없게 하옵소서 하였더니 하나님이 그가 구하는 것을 허락하셨더라

DAY . . 암송체크

역대하

491 역대하 16:9a

여호와의 눈은 온 땅을 두루 감찰하사 전심으로 자기에게 향하는 자들을 위하여 능력을 베푸시나니

레마의 말씀

DAY ____ . ____ . ____ 암송체크

느헤미야

492 느헤미야 5:19 □□□□□

내 하나님이여 내가 이 백성을 위하여 행한 모든 일을 기억하사 내게 은혜를 베푸시옵소서

493 느헤미야 8:10b □□□□□

이날은 우리 주의 성일이니 근심하지 말라 여호와로 인하여 기뻐하는 것이 너희의 힘이니라 하고

레마의 말씀

욥기—시편

DAY . . 암송체크

욥기

494 욥기 22:21

너는 하나님과 화목하고 평안하라 그리하면 복이 네게 임하리라

495 욥기 23:8-10

그런데 내가 앞으로 가도 그가 아니 계시고 뒤로 가도 보이지 아니하며

그가 왼쪽에서 일하시나 내가 만날 수 없고 그가 오른쪽으로 돌이키시나 뵈올 수 없구나

그러나 내가 가는 길을 그가 아시나니 그가 나를 단련하신 후에는 내가 순금같이 되어 나오리라

레마의 말씀

시편

496 시편 1:1

복 있는 사람은 악인들의 꾀를 따르지 아니하며 죄인들의 길에 서지 아니하며 오만한 자들의 자리에 앉지 아니하고

497 시편 1:2

오직 여호와의 율법을 즐거워하여 그의 율법을 주야로 묵상하는도다

레마의 말씀

498 시편 1:3

그는 시냇가에 심은 나무가 철을 따라 열매를 맺으며 그 잎사귀가 마르지 아니함 같으니 그가 하는 모든 일이 다 형통하리로다

499 시편 1:4

악인들은 그렇지 아니함이여 오직 바람에 나는 겨와 같도다

500 시편 1:5

그러므로 악인들은 심판을 견디지 못하며 죄인들이 의인들의 모임에 들지 못하리로다

레마의 말씀

DAY . .

암송체크

501 시편 1:6

무릇 의인들의 길은 여호와께서 인정하시나 악인들의 길은 망하리로다

502 시편 4:7

주께서 내 마음에 두신 기쁨은 그들의 곡식과 새 포도주가 풍성할 때보다 더하니이다

503 시편 4:8

내가 평안히 눕고 자기도 하리니 나를 안전히 살게 하시는 이는 오직 여호와이시니이다

레마의 말씀

DAY . . 암송체크

504 시편 5:12

여호와여 주는 의인에게 복을 주시고 방패로 함 같이 은혜로 그를 호위하시리이다

505 시편 7:10

나의 방패는 마음이 정직한 자를 구원하시는 하나님께 있도다

506 시편 8:1

여호와 우리 주여 주의 이름이 온 땅에 어찌 그리 아름다운지요 주의 영광이 하늘을 덮었나이다

레마의 말씀

DAY ______ . ______ . ______　암송체크

507　시편 9:10

여호와여 주의 이름을 아는 자는 주를 의지하오
리니 이는 주를 찾는 자들을 버리지 아니하심이
니이다

508　시편 10:12

여호와여 일어나옵소서 하나님이여 손을 드옵소
서 가난한 자들을 잊지 마옵소서

509　시편 12:6

여호와의 말씀은 순결함이여 흙 도가니에 일곱
번 단련한 은 같도다

레마의 말씀

DAY . .

암송체크

510 시편 16:1

하나님이여 나를 지켜 주소서 내가 주께 피하나이다

511 시편 16:2

내가 여호와께 아뢰되 주는 나의 주님이시오니 주밖에는 나의 복이 없다 하였나이다

512 시편 16:3

땅에 있는 성도들은 존귀한 자들이니 나의 모든 즐거움이 그들에게 있도다

레마의 말씀

DAY . .

암송체크

513 시편 16:4

다른 신에게 예물을 드리는 자는 괴로움이 더할 것이라 나는 그들이 드리는 피의 전제를 드리지 아니하며 내 입술로 그 이름도 부르지 아니하리로다

514 시편 16:5

여호와는 나의 산업과 나의 잔의 소득이시니 나의 분깃을 지키시나이다

515 시편 16:6

내게 줄로 재어 준 구역은 아름다운 곳에 있음이여 나의 기업이 실로 아름답도다

레마의 말씀

DAY . .

암송체크

516 시편 16:7

나를 훈계하신 여호와를 송축할지라 밤마다 내 양심이 나를 교훈하도다

517 시편 16:8

내가 여호와를 항상 내 앞에 모심이여 그가 나의 오른쪽에 계시므로 내가 흔들리지 아니하리로다

518 시편 16:9

이러므로 나의 마음이 기쁘고 나의 영도 즐거워하며 내 육체도 안전히 살리니

레마의 말씀

DAY . . 암송체크

519 시편 16:10

이는 주께서 내 영혼을 스올에 버리지 아니하시며 주의 거룩한 자를 멸망시키지 않으실 것임이니이다

520 시편 16:11

주께서 생명의 길을 내게 보이시리니 주의 앞에는 충만한 기쁨이 있고 주의 오른쪽에는 영원한 즐거움이 있나이다

521 시편 17:7

주께 피하는 자들을 그 일어나 치는 자들에게서 오른손으로 구원하시는 주여 주의 기이한 사랑을 나타내소서

레마의 말씀

DAY . .　　　　암송체크

522 시편 18:1

나의 힘이신 여호와여 내가 주를 사랑하나이다

523 시편 18:28

주께서 나의 등불을 켜심이여 여호와 내 하나님이 내 흑암을 밝히시리이다

524 시편 18:29

내가 주를 의뢰하고 적군을 향해 달리며 내 하나님을 의지하고 담을 뛰어넘나이다

525 시편 18:32

이 하나님이 힘으로 내게 띠 띠우시며 내 길을 완전하게 하시며

레마의 말씀

DAY ______ . ______ . ______ 암송체크

526 시편 18:33 ☐☐☐☐☐

나의 발을 암사슴 발 같게 하시며 나를 나의 높은 곳에 세우시며

527 시편 18:34 ☐☐☐☐☐

내 손을 가르쳐 싸우게 하시니 내 팔이 놋 활을 당기도다

528 시편 19:1 ☐☐☐☐☐

하늘이 하나님의 영광을 선포하고 궁창이 그의 손으로 하신 일을 나타내는도다

레마의 말씀

DAY . . 암송체크

529 시편 19:2-4

날은 날에게 말하고 밤은 밤에게 지식을 전하니 언어도 없고 말씀도 없으며 들리는 소리도 없으나 그의 소리가 온 땅에 통하고 그의 말씀이 세상 끝까지 이르도다 하나님이 해를 위하여 하늘에 장막을 베푸셨도다

530 시편 19:5

해는 그의 신방에서 나오는 신랑과 같고 그의 길을 달리기 기뻐하는 장사 같아서

레마의 말씀

DAY . .

암송체크

531 시편 19:6

하늘 이 끝에서 나와서 하늘 저 끝까지 운행함이여 그의 열기에서 피할 자가 없도다

532 시편 19:7

여호와의 율법은 완전하여 영혼을 소성시키며 여호와의 증거는 확실하여 우둔한 자를 지혜롭게 하며

533 시편 19:8

여호와의 교훈은 정직하여 마음을 기쁘게 하고 여호와의 계명은 순결하여 눈을 밝게 하시도다

레마의 말씀

DAY . . 암송체크

534 시편 19:9-11

여호와를 경외하는 도는 정결하여 영원까지 이르고 여호와의 법도 진실하여 다 의로우니
금 곧 많은 순금보다 더 사모할 것이며 꿀과 송이꿀보다 더 달도다
또 주의 종이 이것으로 경고를 받고 이것을 지킴으로 상이 크니이다

535 시편 19:12

자기 허물을 능히 깨달을 자 누구리요 나를 숨은 허물에서 벗어나게 하소서

레마의 말씀

DAY . . 암송체크

536 시편 19:13

또 주의 종에게 고의로 죄를 짓지 말게 하사 그 죄가 나를 주장하지 못하게 하소서 그리하면 내가 정직하여 큰 죄과에서 벗어나겠나이다

537 시편 19:14

나의 반석이시요 나의 구속자이신 여호와여 내 입의 말과 마음의 묵상이 주님 앞에 열납되기를 원하나이다

레마의 말씀

DAY . . 암송체크

538 시편 20:1-3

환난 날에 여호와께서 네게 응답하시고 야곱의 하나님의 이름이 너를 높이 드시며

성소에서 너를 도와주시고 시온에서 너를 붙드시며

네 모든 소제를 기억하시며 네 번제를 받아 주시기를 원하노라

539 시편 20:4

네 마음의 소원대로 허락하시고 네 모든 계획을 이루어 주시기를 원하노라

레마의 말씀

DAY ____ . ____ . ____ 암송체크

540 시편 20:5

우리가 너의 승리로 말미암아 개가를 부르며 우리 하나님의 이름으로 우리의 깃발을 세우리니 여호와께서 네 모든 기도를 이루어 주시기를 원하노라

541 시편 20:6

여호와께서 자기에게 기름 부음 받은 자를 구원하시는 줄 이제 내가 아노니 그의 오른손의 구원하는 힘으로 그의 거룩한 하늘에서 그에게 응답하시리로다

레마의 말씀

DAY ______ . ______ . ______ 암송체크

542 시편 20:7-8

어떤 사람은 병거, 어떤 사람은 말을 의지하나 우리는 여호와 우리 하나님의 이름을 자랑하리로다 그들은 비틀거리며 엎드러지고 우리는 일어나 바로 서도다

543 시편 20:9

여호와여 왕을 구원하소서 우리가 부를 때에 우리에게 응답하소서

레마의 말씀

DAY . . 암송체크

544 시편 23:1

여호와는 나의 목자시니 내게 부족함이 없으리로다

545 시편 23:2

그가 나를 푸른 풀밭에 누이시며 쉴 만한 물가로 인도하시는도다

546 시편 23:3

내 영혼을 소생시키시고 자기 이름을 위하여 의의 길로 인도하시는도다

레마의 말씀

DAY . .　　　　암송체크

547 시편 23:4

내가 사망의 음침한 골짜기로 다닐지라도 해를 두려워하지 않을 것은 주께서 나와 함께하심이라 주의 지팡이와 막대기가 나를 안위하시나이다

548 시편 23:5

주께서 내 원수의 목전에서 내게 상을 차려 주시고 기름을 내 머리에 부으셨으니 내 잔이 넘치나이다

레마의 말씀

DAY . .

암송체크

549 시편 23:6

내 평생에 선하심과 인자하심이 반드시 나를 따르리니 내가 여호와의 집에 영원히 살리로다

550 시편 24:7

문들아 너희 머리를 들지어다 영원한 문들아 들릴지어다 영광의 왕이 들어가시리로다

551 시편 24:8

영광의 왕이 누구시냐 강하고 능한 여호와시요 전쟁에 능한 여호와시로다

레마의 말씀

DAY . . 암송체크

552 시편 25:10

여호와의 모든 길은 그의 언약과 증거를 지키는 자에게 인자와 진리로다

553 시편 25:12

여호와를 경외하는 자 누구냐 그가 택할 길을 그에게 가르치시리로다

554 시편 25:14

여호와의 친밀하심이 그를 경외하는 자들에게 있음이여 그의 언약을 그들에게 보이시리로다

레마의 말씀

DAY ____ . ____ . ____ 암송체크

555 시편 27:1

여호와는 나의 빛이요 나의 구원이시니 내가 누구를 두려워하리요 여호와는 내 생명의 능력이시니 내가 누구를 무서워하리요

556 시편 27:3

군대가 나를 대적하여 진 칠지라도 내 마음이 두렵지 아니하며 전쟁이 일어나 나를 치려할지라도 나는 여전히 태연하리로다

레마의 말씀

DAY ____ . ____ . ____ 암송체크

557 시편 27:4 □□□□□

내가 여호와께 바라는 한 가지 일 그것을 구하리니 곧 내가 내 평생에 여호와의 집에 살면서 여호와의 아름다움을 바라보며 그의 성전에서 사모하는 그것이라

558 시편 27:8 □□□□□

너희는 내 얼굴을 찾으라 하실 때에 내가 마음으로 주께 말하되 여호와여 내가 주의 얼굴을 찾으리이다 하였나이다

레마의 말씀

DAY . . 암송체크

559 시편 27:10

내 부모는 나를 버렸으나 여호와는 나를 영접하시리이다

560 시편 27:14

너는 여호와를 기다릴지어다 강하고 담대하며 여호와를 기다릴지어다

561 시편 30:4

주의 성도들아 여호와를 찬송하며 그의 거룩함을 기억하며 감사하라

레마의 말씀

DAY . .

암송체크

562 시편 30:5

그의 노염은 잠깐이요 그의 은총은 평생이로다 저녁에는 울음이 깃들일지라도 아침에는 기쁨이 오리로다

563 시편 30:11

주께서 나의 슬픔이 변하여 내게 춤이 되게 하시며 나의 베옷을 벗기고 기쁨으로 띠 띠우셨나이다

564 시편 31:19

주를 두려워하는 자를 위하여 쌓아 두신 은혜 곧 주께 피하는 자를 위하여 인생 앞에 베푸신 은혜가 어찌 그리 큰지요

레마의 말씀

DAY . .

암송체크

565 시편 31:23

너희 모든 성도들아 여호와를 사랑하라 여호와께서 진실한 자를 보호하시고 교만하게 행하는 자에게 엄중히 갚으시느니라

566 시편 31:24

여호와를 바라는 너희들아 강하고 담대하라

567 시편 32:5

내가 이르기를 내 허물을 여호와께 자복하리라 하고 주께 내 죄를 아뢰고 내 죄악을 숨기지 아니하였더니 곧 주께서 내 죄악을 사하셨나이다

레마의 말씀

DAY . . 암송체크

568 시편 32:6

이로 말미암아 모든 경건한 자는 주를 만날 기회를 얻어서 주께 기도할지라 진실로 홍수가 범람할지라도 그에게 미치지 못하리이다

569 시편 32:8

내가 네 갈 길을 가르쳐 보이고 너를 주목하여 훈계하리로다

570 시편 32:10

악인에게는 많은 슬픔이 있으나 여호와를 신뢰하는 자에게는 인자하심이 두르리로다

레마의 말씀

DAY ______ . ______ . ______   암송체크

571 시편 34:8

너희는 여호와의 선하심을 맛보아 알지어다 그에게 피하는 자는 복이 있도다

572 시편 34:9

너희 성도들아 여호와를 경외하라 그를 경외하는 자에게는 부족함이 없도다

573 시편 34:10

젊은 사자는 궁핍하여 주릴지라도 여호와를 찾는 자는 모든 좋은 것에 부족함이 없으리로다

레마의 말씀

DAY . . 암송체크

574 시편 34:18

여호와는 마음이 상한 자를 가까이 하시고 충심으로 통회하는 자를 구원하시는도다

575 시편 34:19

의인은 고난이 많으나 여호와께서 그의 모든 고난에서 건지시는도다

576 시편 34:20

그의 모든 뼈를 보호하심이여 그 중에서 하나도 꺾이지 아니하도다

레마의 말씀

DAY . . 암송체크

577 시편 34:21

악이 악인을 죽일 것이라 의인을 미워하는 자는
벌을 받으리로다

578 시편 35:1

여호와여 나와 다투는 자와 다투시고 나와 싸우
는 자와 싸우소서

579 시편 35:2

방패와 손 방패를 잡으시고 일어나 나를 도우소서

레마의 말씀

DAY . . 암송체크

580 시편 37:1-2

악을 행하는 자들 때문에 불평하지 말며 불의를 행하는 자들을 시기하지 말지어다
그들은 풀과 같이 속히 베임을 당할 것이며 푸른 채소같이 쇠잔할 것임이로다

581 시편 37:3

여호와를 의뢰하고 선을 행하라 땅에 머무는 동안 그의 성실을 먹을거리로 삼을지어다

582 시편 37:4

또 여호와를 기뻐하라 그가 네 마음의 소원을 네게 이루어 주시리로다

레마의 말씀

DAY ______ . ______ . ______ 암송체크

583 시편 37:5 □□□□□

네 길을 여호와께 맡기라 그를 의지하면 그가 이루시고

584 시편 37:6 □□□□□

네 의를 빛같이 나타내시며 네 공의를 정오의 빛같이 하시리로다

585 시편 37:7 □□□□□

여호와 앞에 잠잠하고 참고 기다리라 자기 길이 형통하며 악한 꾀를 이루는 자 때문에 불평하지 말지어다

레마의 말씀

DAY . . 암송체크

586 시편 37:8

분을 그치고 노를 버리며 불평하지 말라 오히려 악을 만들 뿐이라

587 시편 37:9

진실로 악을 행하는 자들은 끊어질 것이나 여호와를 소망하는 자들은 땅을 차지하리로다

588 시편 37:21

악인은 꾸고 갚지 아니하나 의인은 은혜를 베풀고 주는도다

레마의 말씀

DAY . . 암송체크

589 시편 37:22

주의 복을 받은 자들은 땅을 차지하고 주의 저주를 받은 자들은 끊어지리로다

590 시편 37:23-24

여호와께서 사람의 걸음을 정하시고 그의 길을 기뻐하시나니
그는 넘어지나 아주 엎드러지지 아니함은 여호와께서 그의 손으로 붙드심이로다

레마의 말씀

DAY . .　　암송체크

591 시편 39:6 □□□□□

진실로 각 사람은 그림자같이 다니고 헛된 일로 소란하며 재물을 쌓으나 누가 거둘는지 알지 못하나이다

592 시편 39:7 □□□□□

주여 이제 내가 무엇을 바라리요 나의 소망은 주께 있나이다

593 시편 40:1 □□□□□

내가 여호와를 기다리고 기다렸더니 귀를 기울이사 나의 부르짖음을 들으셨도다

레마의 말씀

DAY . . 암송체크

594 시편 40:2

나를 기가 막힐 웅덩이와 수렁에서 끌어올리시고 내 발을 반석 위에 두사 내 걸음을 견고하게 하셨도다

595 시편 42:1

하나님이여 사슴이 시냇물을 찾기에 갈급함같이 내 영혼이 주를 찾기에 갈급하니이다

596 시편 42:2

내 영혼이 하나님 곧 살아 계시는 하나님을 갈망하나니 내가 어느 때에 나아가서 하나님의 얼굴을 뵈올까

레마의 말씀

DAY . . 암송체크

597 시편 42:3

사람들이 종일 내게 하는 말이 네 하나님이 어디 있느뇨 하오니 내 눈물이 주야로 내 음식이 되었도다

598 시편 42:4

내가 전에 성일을 지키는 무리와 동행하여 기쁨과 감사의 소리를 내며 그들을 하나님의 집으로 인도하였더니 이제 이 일을 기억하고 내 마음이 상하는도다

레마의 말씀

DAY . .

암송체크

599 시편 42:5

내 영혼아 네가 어찌하여 낙심하며 어찌하여 내 속에서 불안해하는가 너는 하나님께 소망을 두라 그가 나타나 도우심으로 말미암아 내가 여전히 찬송하리로다

600 시편 43:3

주의 빛과 주의 진리를 보내시어 나를 인도하시고 주의 거룩한 산과 주께서 계시는 곳에 이르게 하소서

레마의 말씀

DAY . .

암송체크

601 시편 43:4

그런즉 내가 하나님의 제단에 나아가 나의 큰 기쁨의 하나님께 이르리이다 하나님이여 나의 하나님이여 내가 수금으로 주를 찬양하리이다

602 시편 46:1

하나님은 우리의 피난처시요 힘이시니 환난 중에 만날 큰 도움이시라

603 시편 46:10

이르시기를 너희는 가만히 있어 내가 하나님 됨을 알지어다 내가 뭇 나라 중에서 높임을 받으리라 내가 세계 중에서 높임을 받으리라 하시도다

레마의 말씀

DAY ____ . ____ . ____ 암송체크

604 시편 48:9

하나님이여 우리가 주의 전 가운데에서 주의 인자하심을 생각하였나이다

605 시편 49:20

존귀하나 깨닫지 못하는 사람은 멸망하는 짐승 같도다

606 시편 50:5

이르시되 나의 성도들을 내 앞에 모으라 그들은 제사로 나와 언약한 이들이니라 하시도다

레마의 말씀

DAY ______ . ______ . ______ 암송체크

607 시편 50:13-14 ☐☐☐☐☐

내가 수소의 고기를 먹으며 염소의 피를 마시겠느냐

감사로 하나님께 제사를 드리며 지존하신 이에게 네 서원을 갚으며

608 시편 50:15 ☐☐☐☐☐

환난 날에 나를 부르라 내가 너를 건지리니 네가 나를 영화롭게 하리로다

레마의 말씀

DAY ____ . ____ . ____ 암송체크

609 시편 50:23

감사로 제사를 드리는 자가 나를 영화롭게 하나니 그의 행위를 옳게 하는 자에게 내가 하나님의 구원을 보이리라

610 시편 51:4

내가 주께만 범죄하여 주의 목전에 악을 행하였사오니 주께서 말씀하실 때에 의로우시다 하고 주께서 심판하실 때에 순전하시다 하리이다

611 시편 51:10

하나님이여 내 속에 정한 마음을 창조하시고 내 안에 정직한 영을 새롭게 하소서

레마의 말씀

DAY　　.　　.　　암송체크

612　시편 51:17

하나님께서 구하시는 제사는 상한 심령이라 하나님이여 상하고 통회하는 마음을 주께서 멸시하지 아니하시리이다

613　시편 53:1

어리석은 자는 그의 마음에 이르기를 하나님이 없다 하도다 그들은 부패하며 가증한 악을 행함이여 선을 행하는 자가 없도다

614　시편 55:22

네 짐을 여호와께 맡기라 그가 너를 붙드시고 의인의 요동함을 영원히 허락하지 아니하시리로다

레마의 말씀

DAY ____ . ____ . ____ 암송체크

615 시편 57:7

하나님이여 내 마음이 확정되었고 내 마음이 확정되었사오니 내가 노래하고 내가 찬송하리이다

616 시편 57:8

내 영광아 깰지어다 비파야, 수금아, 깰지어다 내가 새벽을 깨우리로다

617 시편 57:9

주여 내가 만민 중에서 주께 감사하오며 뭇 나라 중에서 주를 찬송하리이다

레마의 말씀

DAY . .	암송체크

618 시편 57:10

무릇 주의 인자는 커서 하늘에 미치고 주의 진리는 궁창에 이르나이다

619 시편 57:11

하나님이여 주는 하늘 위에 높이 들리시며 주의 영광이 온 세계 위에 높아지기를 원하나이다

620 시편 60:4

주를 경외하는 자에게 깃발을 주시고 진리를 위하여 달게 하셨나이다

레마의 말씀

DAY ____ . ____ . ____ 암송체크

621 시편 60:5

주께서 사랑하시는 자를 건지시기 위하여 주의 오른손으로 구원하시고 응답하소서

622 시편 62:1

나의 영혼이 잠잠히 하나님만 바람이여 나의 구원이 그에게서 나오는도다

623 시편 62:2

오직 그만이 나의 반석이시요 나의 구원이시요 나의 요새이시니 내가 크게 흔들리지 아니하리로다

레마의 말씀

DAY . . 암송체크

624 시편 62:7

나의 구원과 영광이 하나님께 있음이여 내 힘의 반석과 피난처도 하나님께 있도다

625 시편 62:8

백성들아 시시로 그를 의지하고 그의 앞에 마음을 토하라 하나님은 우리의 피난처시로다

626 시편 62:10

포악을 의지하지 말며 탈취한 것으로 허망하여지지 말며 재물이 늘어도 거기에 마음을 두지 말지어다

레마의 말씀

DAY . .

암송체크

627 시편 62:11

하나님이 한두 번 하신 말씀을 내가 들었나니 권능은 하나님께 속하였다 하셨도다

628 시편 63:3

주의 인자하심이 생명보다 나으므로 내 입술이 주를 찬양할 것이라

629 시편 63:4

이러므로 나의 평생에 주를 송축하며 주의 이름으로 말미암아 나의 손을 들리이다

레마의 말씀

DAY . . 암송체크

630 시편 65:1

하나님이여 찬송이 시온에서 주를 기다리오며 사람이 서원을 주께 이행하리이다

631 시편 65:2

기도를 들으시는 주여 모든 육체가 주께 나아오리이다

632 시편 65:4

주께서 택하시고 가까이 오게 하사 주의 뜰에 살게 하신 사람은 복이 있나이다 우리가 주의 집 곧 주의 성전의 아름다움으로 만족하리이다

레마의 말씀

DAY . . 암송체크

633 시편 67:3

하나님이여 민족들이 주를 찬송하게 하시며 모든 민족들이 주를 찬송하게 하소서

634 시편 67:7

하나님이 우리에게 복을 주시리니 땅의 모든 끝이 하나님을 경외하리로다

635 시편 68:5

그의 거룩한 처소에 계신 하나님은 고아의 아버지시며 과부의 재판장이시라

레마의 말씀

DAY . . 암송체크

636 시편 68:13

너희가 양 우리에 누울 때에는 그 날개를 은으로 입히고 그 깃을 황금으로 입힌 비둘기 같도다

637 시편 68:19

날마다 우리 짐을 지시는 주 곧 우리의 구원이신 하나님을 찬송할지로다

638 시편 71:14

나는 항상 소망을 품고 주를 더욱더욱 찬송하리이다

레마의 말씀

DAY . .

암송체크

639 시편 73:20

주여 사람이 깬 후에는 꿈을 무시함같이 주께서 깨신 후에는 그들의 형상을 멸시하시리이다

640 시편 73:24

주의 교훈으로 나를 인도하시고 후에는 영광으로 나를 영접하시리니

641 시편 73:25

하늘에서는 주 외에 누가 내게 있으리요 땅에서는 주밖에 내가 사모할 이 없나이다

레마의 말씀

DAY . .

암송체크

642 시편 73:26

내 육체와 마음은 쇠약하나 하나님은 내 마음의 반석이시요 영원한 분깃이시라

643 시편 73:27

무릇 주를 멀리하는 자는 망하리니 음녀같이 주를 떠난 자를 주께서 다 멸하셨나이다

644 시편 73:28

하나님께 가까이 함이 내게 복이라 내가 주 여호와를 나의 피난처로 삼아 주의 모든 행적을 전파하리이다

레마의 말씀

DAY ______ . ______ . ______ 암송체크

645 시편 81:10 □□□□□

나는 너를 애굽 땅에서 인도하여 낸 여호와 네 하나님이니 네 입을 크게 열라 내가 채우리라 하였으나

646 시편 84:1 □□□□□

만군의 여호와여 주의 장막이 어찌 그리 사랑스러운지요

647 시편 84:2 □□□□□

내 영혼이 여호와의 궁정을 사모하여 쇠약함이여 내 마음과 육체가 살아 계시는 하나님께 부르짖나이다

레마의 말씀

DAY . . 암송체크

648 시편 84:5-6

주께 힘을 얻고 그 마음에 시온의 대로가 있는 자는 복이 있나이다
그들이 눈물 골짜기로 지나갈 때에 그곳에 많은 샘이 있을 것이며 이른 비가 복을 채워 주나이다

649 시편 84:10

주의 궁정에서의 한 날이 다른 곳에서의 천 날보다 나은즉 악인의 장막에 사는 것보다 내 하나님의 성전 문지기로 있는 것이 좋사오니

레마의 말씀

DAY . . 암송체크

650 시편 90:1

주여 주는 대대에 우리의 거처가 되셨나이다

651 시편 90:2

산이 생기기 전, 땅과 세계도 주께서 조성하시기 전 곧 영원부터 영원까지 주는 하나님이시니이다

652 시편 90:3

주께서 사람을 티끌로 돌아가게 하시고 말씀하시기를 너희 인생들은 돌아가라 하셨사오니

653 시편 90:4

주의 목전에는 천 년이 지나간 어제 같으며 밤의 한 순간 같을 뿐임이니이다

레마의 말씀

DAY . .

암송체크

654 시편 90:5

주께서 그들을 홍수처럼 쓸어가시나이다 그들은 잠깐 자는 것 같으며 아침에 돋는 풀 같으니이다

655 시편 90:6

풀은 아침에 꽃이 피어 자라다가 저녁에는 시들어 마르나이다

656 시편 90:7

우리는 주의 노에 소멸되며 주의 분내심에 놀라나이다

DAY . .

암송체크

657 시편 90:8

주께서 우리의 죄악을 주의 앞에 놓으시며 우리의 은밀한 죄를 주의 얼굴빛 가운데에 두셨사오니

658 시편 90:9

우리의 모든 날이 주의 분노 중에 지나가며 우리의 평생이 순식간에 다하였나이다

659 시편 90:10

우리의 연수가 칠십이요 강건하면 팔십이라도 그 연수의 자랑은 수고와 슬픔뿐이요 신속히 가니 우리가 날아가나이다

레마의 말씀

암송체크

660 시편 90:11

누가 주의 노여움의 능력을 알며 누가 주의 진노의 두려움을 알리이까

661 시편 90:12

우리에게 우리 날 계수함을 가르치사 지혜로운 마음을 얻게 하소서

662 시편 90:13

여호와여 돌아오소서 언제까지니이까 주의 종들을 불쌍히 여기소서

레마의 말씀

DAY . .

암송체크

663 시편 90:14

아침에 주의 인자하심이 우리를 만족하게 하사 우리를 일생 동안 즐겁고 기쁘게 하소서

664 시편 90:15

우리를 괴롭게 하신 날수대로와 우리가 화를 당한 연수대로 우리를 기쁘게 하소서

665 시편 90:16

주께서 행하신 일을 주의 종들에게 나타내시며 주의 영광을 그들의 자손에게 나타내소서

레마의 말씀

DAY . .

암송체크

666 시편 90:17

주 우리 하나님의 은총을 우리에게 내리게 하사 우리의 손이 행한 일을 우리에게 견고하게 하소서 우리의 손이 행한 일을 견고하게 하소서

667 시편 91:1

지존자의 은밀한 곳에 거주하며 전능자의 그늘 아래에 사는 자여,

668 시편 91:2

나는 여호와를 향하여 말하기를 그는 나의 피난처요 나의 요새요 내가 의뢰하는 하나님이라 하리니

레마의 말씀

DAY . .
암송체크

669 시편 91:3

이는 그가 너를 새 사냥꾼의 올무에서와 심한 전염병에서 건지실 것임이로다

670 시편 91:4

그가 너를 그의 깃으로 덮으시리니 네가 그의 날개 아래에 피하리로다 그의 진실함은 방패와 손 방패가 되시나니

671 시편 91:5-6

너는 밤에 찾아오는 공포와 낮에 날아드는 화살과 어두울 때 퍼지는 전염병과 밝을 때 닥쳐오는 재앙을 두려워하지 아니하리로다

레마의 말씀

DAY . .

암송체크

672 시편 91:7

천 명이 네 왼쪽에서, 만 명이 네 오른쪽에서 엎드러지나 이 재앙이 네게 가까이 하지 못하리로다

673 시편 91:8

오직 너는 똑똑히 보리니 악인들의 보응을 네가 보리로다

674 시편 91:9

네가 말하기를 여호와는 나의 피난처시라 하고 지존자를 너의 거처로 삼았으므로

레마의 말씀

DAY . . 암송체크

675 시편 91:10

화가 네게 미치지 못하며 재앙이 네 장막에 가까
이 오지 못하리니

676 시편 91:11

그가 너를 위하여 그의 천사들을 명령하사 네 모
든 길에서 너를 지키게 하심이라

677 시편 91:12

그들이 그들의 손으로 너를 붙들어 발이 돌에 부
딪히지 아니하게 하리로다

레마의 말씀

DAY . . 암송체크

678 시편 91:13

네가 사자와 독사를 밟으며 젊은 사자와 뱀을 발로 누르리로다

679 시편 91:14

하나님이 이르시되 그가 나를 사랑한즉 내가 그를 건지리라 그가 내 이름을 안즉 내가 그를 높이리라

680 시편 91:15

그가 내게 간구하리니 내가 그에게 응답하리라 그들이 환난 당할 때에 내가 그와 함께 하여 그를 건지고 영화롭게 하리라

레마의 말씀

DAY . . 암송체크

681 시편 91:16

내가 그를 장수하게 함으로 그를 만족하게 하며 나의 구원을 그에게 보이리라 하시도다

682 시편 92:12

의인은 종려나무같이 번성하며 레바논의 백향목 같이 성장하리로다

683 시편 92:13

이는 여호와의 집에 심겼음이여 우리 하나님의 뜰 안에서 번성하리로다

레마의 말씀

DAY . . 암송체크

684 시편 92:14

그는 늙어도 여전히 결실하며 진액이 풍족하고 빛이 청청하니

685 시편 92:15

여호와의 정직하심과 나의 바위 되심과 그에게는 불의가 없음이 선포되리로다

686 시편 93:3

여호와여 큰물이 소리를 높였고 큰물이 그 소리를 높였으니 큰물이 그 물결을 높이나이다

레마의 말씀

DAY . . 암송체크

687 시편 93:4

높이 계신 여호와의 능력은 많은 물소리와 바다의 큰 파도보다 크니이다

688 시편 94:9

귀를 지으신 이가 듣지 아니하시랴 눈을 만드신 이가 보지 아니하시랴

689 시편 97:10

여호와를 사랑하는 너희여 악을 미워하라 그가 그의 성도의 영혼을 보전하사 악인의 손에서 건지시느니라

레마의 말씀

DAY . . 암송체크

690 시편 97:11

의인을 위하여 빛을 뿌리고 마음이 정직한 자를 위하여 기쁨을 뿌리시는도다

691 시편 100:1

온 땅이여 여호와께 즐거운 찬송을 부를지어다

692 시편 100:2

기쁨으로 여호와를 섬기며 노래하면서 그의 앞에 나아갈지어다

레마의 말씀

DAY ______ . ______ . ______ 암송체크

693 시편 100:3 □□□□□

여호와가 우리 하나님이신 줄 너희는 알지어다 그는 우리를 지으신 이요 우리는 그의 것이니 그의 백성이요 그의 기르시는 양이로다

694 시편 100:4 □□□□□

감사함으로 그의 문에 들어가며 찬송함으로 그의 궁정에 들어가서 그에게 감사하며 그의 이름을 송축할지어다

695 시편 100:5 □□□□□

여호와는 선하시니 그의 인자하심이 영원하고 그의 성실하심이 대대에 이르리로다

레마의 말씀

DAY . .

암송체크

696 시편 102:26

천지는 없어지려니와 주는 영존하시겠고 그것들은 다 옷같이 낡으리니 의복같이 바꾸시면 바뀌려니와

697 시편 102:27

주는 한결같으시고 주의 연대는 무궁하리이다

698 시편 103:1

내 영혼아 여호와를 송축하라 내 속에 있는 것들아 다 그의 거룩한 이름을 송축하라

레마의 말씀

DAY . . 암송체크

699 시편 103:2

내 영혼아 여호와를 송축하며 그의 모든 은택을 잊지 말지어다

700 시편 103:3

그가 네 모든 죄악을 사하시며 네 모든 병을 고치시며

701 시편 103:4

네 생명을 파멸에서 속량하시고 인자와 긍휼로 관을 씌우시며

레마의 말씀

DAY . .

암송체크

702 시편 103:5

좋은 것으로 네 소원을 만족하게 하사 네 청춘을 독수리같이 새롭게 하시는도다

703 시편 103:11

이는 하늘이 땅에서 높음같이 그를 경외하는 자에게 그의 인자하심이 크심이로다

704 시편 103:12

동이 서에서 먼 것같이 우리의 죄과를 우리에게서 멀리 옮기셨으며

레마의 말씀

DAY . . 암송체크

705 시편 103:13

아버지가 자식을 긍휼히 여김같이 여호와께서는 자기를 경외하는 자를 긍휼히 여기시나니

706 시편 104:34

나의 기도를 기쁘게 여기시기를 바라나니 나는 여호와로 말미암아 즐거워하리로다

707 시편 105:3

그의 거룩한 이름을 자랑하라 여호와를 구하는 자들은 마음이 즐거울지로다

레마의 말씀

DAY . . 암송체크

708 시편 105:4

여호와와 그의 능력을 구할지어다 그의 얼굴을 항상 구할지어다

709 시편 105:19

곧 여호와의 말씀이 응할 때까지라 그의 말씀이 그를 단련하였도다

710 시편 106:15

그러므로 여호와께서는 그들이 요구한 것을 그들에게 주셨을지라도 그들의 영혼은 쇠약하게 하셨도다

레마의 말씀

DAY . .   암송체크

711 시편 107:1

여호와께 감사하라 그는 선하시며 그 인자하심이 영원함이로다

712 시편 107:8

여호와의 인자하심과 인생에게 행하신 기적으로 말미암아 그를 찬송할지로다

713 시편 107:10-11

사람이 흑암과 사망의 그늘에 앉으며 곤고와 쇠사슬에 매임은

하나님의 말씀을 거역하며 지존자의 뜻을 멸시함이라

레마의 말씀

DAY ____ . ____ . ____ 암송체크

714 시편 107:20 ☐☐☐☐☐

그가 그의 말씀을 보내어 그들을 고치시고 위험한 지경에서 건지시는도다

715 시편 108:1 ☐☐☐☐☐

하나님이여 내 마음을 정하였사오니 내가 노래하며 나의 마음을 다하여 찬양하리로다

716 시편 108:2 ☐☐☐☐☐

비파야, 수금아, 깰지어다 내가 새벽을 깨우리로다

레마의 말씀

DAY . . 암송체크

717 시편 108:3

여호와여 내가 만민 중에서 주께 감사하고 뭇 나라 중에서 주를 찬양하오리니

718 시편 108:4

주의 인자하심이 하늘보다 높으시며 주의 진실은 궁창에까지 이르나이다

719 시편 108:5

하나님이여 주는 하늘 위에 높이 들리시며 주의 영광이 온 땅에서 높임 받으시기를 원하나이다

레마의 말씀

DAY . . 암송체크

720 시편 108:6

주께서 사랑하시는 자들을 건지시기 위하여 우리에게 응답하사 오른손으로 구원하소서

721 시편 108:13

우리가 하나님을 의지하고 용감히 행하리니 그는 우리의 대적들을 밟으실 자이심이로다

722 시편 110:1

여호와께서 내 주에게 말씀하시기를 내가 네 원수들로 네 발판이 되게 하기까지 너는 내 오른쪽에 앉아 있으라 하셨도다

레마의 말씀

DAY ____ . ____ . ____ 암송체크

723 시편 110:3 □□□□□

주의 권능의 날에 주의 백성이 거룩한 옷을 입고 즐거이 헌신하니 새벽이슬 같은 주의 청년들이 주께 나오는도다

724 시편 110:4 □□□□□

여호와는 맹세하고 변하지 아니하시리라 이르시기를 너는 멜기세덱의 서열을 따라 영원한 제사장이라 하셨도다

725 시편 111:10 □□□□□

여호와를 경외함이 지혜의 근본이라 그의 계명을 지키는 자는 다 훌륭한 지각을 가진 자이니 여호와를 찬양함이 영원히 계속되리로다

레마의 말씀

DAY . . 암송체크

726 시편 112:1

할렐루야, 여호와를 경외하며 그의 계명을 크게 즐거워하는 자는 복이 있도다

727 시편 112:2

그의 후손이 땅에서 강성함이여 정직한 자들의 후손에게 복이 있으리로다

728 시편 112:3

부와 재물이 그의 집에 있음이여 그의 공의가 영구히 서 있으리로다

레마의 말씀

DAY . . 암송체크

729 시편 112:4

정직한 자들에게는 흑암 중에 빛이 일어나나니 그는 자비롭고 긍휼이 많으며 의로운 이로다

730 시편 112:5

은혜를 베풀며 꾸어 주는 자는 잘 되나니 그 일을 정의로 행하리로다

731 시편 112:6

그는 영원히 흔들리지 아니함이여 의인은 영원히 기억되리로다

레마의 말씀

DAY . .

암송체크

732 시편 112:7

그는 흉한 소문을 두려워하지 아니함이여 여호와를 의뢰하고 그의 마음을 굳게 정하였도다

733 시편 115:9

이스라엘아 여호와를 의지하라 그는 너희의 도움이시요 너희의 방패시로다

734 시편 115:15

너희는 천지를 지으신 여호와께 복을 받는 자로다

레마의 말씀

DAY ______ . ______ . ______ 암송체크

735 시편 115:16

하늘은 여호와의 하늘이라도 땅은 사람에게 주셨도다

736 시편 116:1

여호와께서 내 음성과 내 간구를 들으시므로 내가 그를 사랑하는도다

737 시편 116:2

그의 귀를 내게 기울이셨으므로 내가 평생에 기도하리로다

레마의 말씀

DAY . . 암송체크

738 시편 116:3-4

사망의 줄이 나를 두르고 스올의 고통이 내게 이르므로 내가 환난과 슬픔을 만났을 때에
내가 여호와의 이름으로 기도하기를 여호와여 주께 구하오니 내 영혼을 건지소서 하였도다

739 시편 116:5

여호와는 은혜로우시며 의로우시며 우리 하나님은 긍휼이 많으시도다

740 시편 116:7

내 영혼아 네 평안함으로 돌아갈지어다 여호와께서 너를 후대하심이로다

레마의 말씀

741 시편 116:12-14

내게 주신 모든 은혜를 내가 여호와께 무엇으로 보답할까
내가 구원의 잔을 들고 여호와의 이름을 부르며
여호와의 모든 백성 앞에서 나는 나의 서원을 여호와께 갚으리로다

742 시편 117:2

우리에게 향하신 여호와의 인자하심이 크시고 여호와의 진실하심이 영원함이로다 할렐루야

레마의 말씀

DAY . . 암송체크

743 시편 118:5

내가 고통 중에 여호와께 부르짖었더니 여호와께서 응답하시고 나를 넓은 곳에 세우셨도다

744 시편 118:6

여호와는 내 편이시라 내가 두려워하지 아니하리니 사람이 내게 어찌할까

745 시편 118:8

여호와께 피하는 것이 사람을 신뢰하는 것보다 나으며

레마의 말씀

DAY . . 암송체크

746 시편 118:9

여호와께 피하는 것이 고관들을 신뢰하는 것보다 낫도다

747 시편 118:12

그들이 벌들처럼 나를 에워쌌으나 가시덤불의 불 같이 타 없어졌나니 내가 여호와의 이름으로 그들을 끊으리로다

748 시편 118:13

너는 나를 밀쳐 넘어뜨리려 하였으나 여호와께서는 나를 도우셨도다

레마의 말씀

DAY . .

암송체크

749 시편 118:17

내가 죽지 않고 살아서 여호와께서 하시는 일을 선포하리로다

750 시편 118:19

내게 의의 문들을 열지어다 내가 그리로 들어가서 여호와께 감사하리로다

751 시편 118:22-23

건축자가 버린 돌이 집모퉁이의 머릿돌이 되었나니 이는 여호와께서 행하신 것이요 우리 눈에 기이한 바로다

레마의 말씀

DAY . .
암송체크

752 시편 118:25

여호와여 구하옵나니 이제 구원하소서 여호와여 우리가 구하옵나니 이제 형통하게 하소서

753 시편 119:1

행위가 온전하여 여호와의 율법을 따라 행하는 자들은 복이 있음이여

754 시편 119:2

여호와의 증거들을 지키고 전심으로 여호와를 구하는 자는 복이 있도다

레마의 말씀

DAY . . 암송체크

755 시편 119:6

내가 주의 모든 계명에 주의할 때에는 부끄럽지 아니하리이다

756 시편 119:7

내가 주의 의로운 판단을 배울 때에는 정직한 마음으로 주께 감사하리이다

757 시편 119:9

청년이 무엇으로 그의 행실을 깨끗하게 하리이까 주의 말씀만 지킬 따름이니이다

레마의 말씀

DAY . .

암송체크

758 시편 119:10

내가 전심으로 주를 찾았사오니 주의 계명에서 떠나지 말게 하소서

759 시편 119:11

내가 주께 범죄하지 아니하려 하여 주의 말씀을 내 마음에 두었나이다

760 시편 119:14

내가 모든 재물을 즐거워함같이 주의 증거들의 도를 즐거워하였나이다

레마의 말씀

DAY . .

암송체크

761 시편 119:17

주의 종을 후대하여 살게 하소서 그리하시면 주의 말씀을 지키리이다

762 시편 119:18

내 눈을 열어서 주의 율법에서 놀라운 것을 보게 하소서

763 시편 119:32

주께서 내 마음을 넓히시면 내가 주의 계명들의 길로 달려가리이다

레마의 말씀

DAY . . 암송체크

764 시편 119:34

나로 하여금 깨닫게 하여 주소서 내가 주의 법을 준행하며 전심으로 지키리이다

765 시편 119:50

이 말씀은 나의 고난 중의 위로라 주의 말씀이 나를 살리셨기 때문이니이다

766 시편 119:56

내 소유는 이것이니 곧 주의 법도들을 지킨 것이니이다

레마의 말씀

DAY . .　　암송체크

767 시편 119:71

고난당한 것이 내게 유익이라 이로 말미암아 내가 주의 율례들을 배우게 되었나이다

768 시편 119:75

여호와여 내가 알거니와 주의 심판은 의로우시고 주께서 나를 괴롭게 하심은 성실하심 때문이니이다

769 시편 119:103

주의 말씀의 맛이 내게 어찌 그리 단지요 내 입에 꿀보다 더 다니이다

레마의 말씀

DAY . . 암송체크

770 시편 119:105

주의 말씀은 내 발에 등이요 내 길에 빛이니이다

771 시편 119:130

주의 말씀을 열면 빛이 비치어 우둔한 사람들을
깨닫게 하나이다

772 시편 119:143

환난과 우환이 내게 미쳤으나 주의 계명은 나의
즐거움이니이다

773 시편 119:162

사람이 많은 탈취물을 얻은 것처럼 나는 주의 말
씀을 즐거워하나이다

레마의 말씀

DAY ______ . ______ . ______ 암송체크

774 시편 119:165

주의 법을 사랑하는 자에게는 큰 평안이 있으니
그들에게 장애물이 없으리이다

775 시편 121:1

내가 산을 향하여 눈을 들리라 나의 도움이 어디
서 올까

776 시편 121:2

나의 도움은 천지를 지으신 여호와에게서로다

레마의 말씀

DAY . . 암송체크

777 시편 121:3

여호와께서 너를 실족하지 아니하게 하시며 너를 지키시는 이가 졸지 아니하시리로다

778 시편 121:4

이스라엘을 지키시는 이는 졸지도 아니하시고 주무시지도 아니하시리로다

779 시편 121:5

여호와는 너를 지키시는 이시라 여호와께서 네 오른쪽에서 네 그늘이 되시나니

레마의 말씀

780 시편 121:6

낮의 해가 너를 상하게 하지 아니하며 밤의 달도 너를 해치지 아니하리로다

781 시편 121:7

여호와께서 너를 지켜 모든 환난을 면하게 하시며 또 네 영혼을 지키시리로다

782 시편 121:8

여호와께서 너의 출입을 지금부터 영원까지 지키시리로다

DAY . . 암송체크

783 시편 126:1

여호와께서 시온의 포로를 돌려보내실 때에 우리는 꿈꾸는 것 같았도다

784 시편 126:2

그때에 우리 입에는 웃음이 가득하고 우리 혀에는 찬양이 찼었도다 그때에 뭇 나라 가운데에서 말하기를 여호와께서 그들을 위하여 큰일을 행하셨다 하였도다

785 시편 126:3

여호와께서 우리를 위하여 큰일을 행하셨으니 우리는 기쁘도다

레마의 말씀

DAY . .

암송체크

786 시편 126:4

여호와여 우리의 포로를 남방 시내들같이 돌려보내소서

787 시편 126:5

눈물을 흘리며 씨를 뿌리는 자는 기쁨으로 거두리로다

788 시편 126:6

울며 씨를 뿌리러 나가는 자는 반드시 기쁨으로 그 곡식 단을 가지고 돌아오리로다

레마의 말씀

DAY . . 암송체크

789 시편 127:1

여호와께서 집을 세우지 아니하시면 세우는 자의 수고가 헛되며 여호와께서 성을 지키지 아니하시면 파수꾼의 깨어 있음이 헛되도다

790 시편 127:2

너희가 일찍이 일어나고 늦게 누우며 수고의 떡을 먹음이 헛되도다 그러므로 여호와께서 그의 사랑하시는 자에게는 잠을 주시는도다

791 시편 127:3

보라 자식들은 여호와의 기업이요 태의 열매는 그의 상급이로다

레마의 말씀

DAY . . 암송체크

792 시편 127:4-5

젊은 자의 자식은 장사의 수중의 화살 같으니 이것이 그의 화살통에 가득한 자는 복되도다 그들이 성문에서 그들의 원수와 담판할 때에 수치를 당하지 아니하리로다

793 시편 128:1

여호와를 경외하며 그의 길을 걷는 자마다 복이 있도다

794 시편 128:2

네가 네 손이 수고한 대로 먹을 것이라 네가 복되고 형통하리로다

레마의 말씀

DAY . .

암송체크

795 시편 130:3-4

여호와여 주께서 죄악을 지켜보실진대 주여 누가 서리이까
그러나 사유하심이 주께 있음은 주를 경외하게 하심이니이다

796 시편 130:6

파수꾼이 아침을 기다림보다 내 영혼이 주를 더 기다리나니 참으로 파수꾼이 아침을 기다림보다 더하도다

레마의 말씀

DAY . .   암송체크

797 시편 133:1

보라 형제가 연합하여 동거함이 어찌 그리 선하
고 아름다운고

798 시편 133:2

머리에 있는 보배로운 기름이 수염 곧 아론의 수
염에 흘러서 그의 옷깃까지 내림 같고

799 시편 133:3

헐몬의 이슬이 시온의 산들에 내림 같도다 거기
서 여호와께서 복을 명령하셨나니 곧 영생이로다

레마의 말씀

DAY ______ . ______ . ______ 암송체크

800 시편 139:1 □□□□□

여호와여 주께서 나를 살펴 보셨으므로 나를 아시나이다

801 시편 139:2 □□□□□

주께서 내가 앉고 일어섬을 아시고 멀리서도 나의 생각을 밝히 아시오며

802 시편 139:3 □□□□□

나의 모든 길과 내가 눕는 것을 살펴보셨으므로 나의 모든 행위를 익히 아시오니

레마의 말씀

DAY . . 암송체크

803 시편 139:4

여호와여 내 혀의 말을 알지 못하시는 것이 하나도 없으시니이다

804 시편 139:7

내가 주의 영을 떠나 어디로 가며 주의 앞에서 어디로 피하리이까

805 시편 139:8

내가 하늘에 올라갈지라도 거기 계시며 스올에 내 자리를 펼지라도 거기 계시니이다

레마의 말씀

DAY . . 암송체크

806 시편 139:9-10

내가 새벽 날개를 치며 바다 끝에 가서 거주할지라도
거기서도 주의 손이 나를 인도하시며 주의 오른 손이 나를 붙드시리이다

807 시편 139:14

내가 주께 감사하옴은 나를 지으심이 심히 기묘하심이라 주께서 하시는 일이 기이함을 내 영혼이 잘 아나이다

DAY . . 암송체크

808 시편 141:2

나의 기도가 주의 앞에 분향함과 같이 되며 나의 손드는 것이 저녁 제사같이 되게 하소서

809 시편 141:3

여호와여 내 입에 파수꾼을 세우시고 내 입술의 문을 지키소서

레마의 말씀

DAY . . 암송체크

810 시편 143:6

주를 향하여 손을 펴고 내 영혼이 마른 땅같이 주를 사모하나이다

811 시편 144:1

나의 반석이신 여호와를 찬송하리로다 그가 내 손을 가르쳐 싸우게 하시며 손가락을 가르쳐 전쟁하게 하시는도다

레마의 말씀

DAY . .

암송체크

812 시편 145:1

왕이신 나의 하나님이여 내가 주를 높이고 영원히 주의 이름을 송축하리이다

813 시편 145:18

여호와께서는 자기에게 간구하는 모든 자 곧 진실하게 간구하는 모든 자에게 가까이 하시는도다

레마의 말씀

DAY ______ . ______ . ______ 암송체크

814 시편 145:19

그는 자기를 경외하는 자들의 소원을 이루시며 또 그들의 부르짖음을 들으사 구원하시리로다

815 시편 147:1

할렐루야 우리 하나님을 찬양하는 일이 선함이여 찬송하는 일이 아름답고 마땅하도다

816 시편 150:6

호흡이 있는 자마다 여호와를 찬양할지어다 할렐루야

레마의 말씀